Les ENFANTS *de* LIR

Sheila MacGill-Callahan

Illustrations de Gennady Spirin

les albums duculot • casterman

Pour Patrick, Mary, Deborah et Justin, quatre enfants royaux S.M-C.
Pour Michael Schwartzman, mon ami et mon maître G.S.

◆

Version originale publiée sous le titre
« The Children of Lir » par Dial Books,
A Division of Penguin Books USA Inc. à New York.

Traduction française : Arnaud de la Croix

Déposé au Ministère de la Justice, Paris
(loi n° 49.956 du 16 juillet 1949 sur les publications destinées à la jeunesse.)

Dépôt légal octobre 1995 ; D. 1995/0053/253

ISBN 2-203-55356-1

Imprimé en Italie

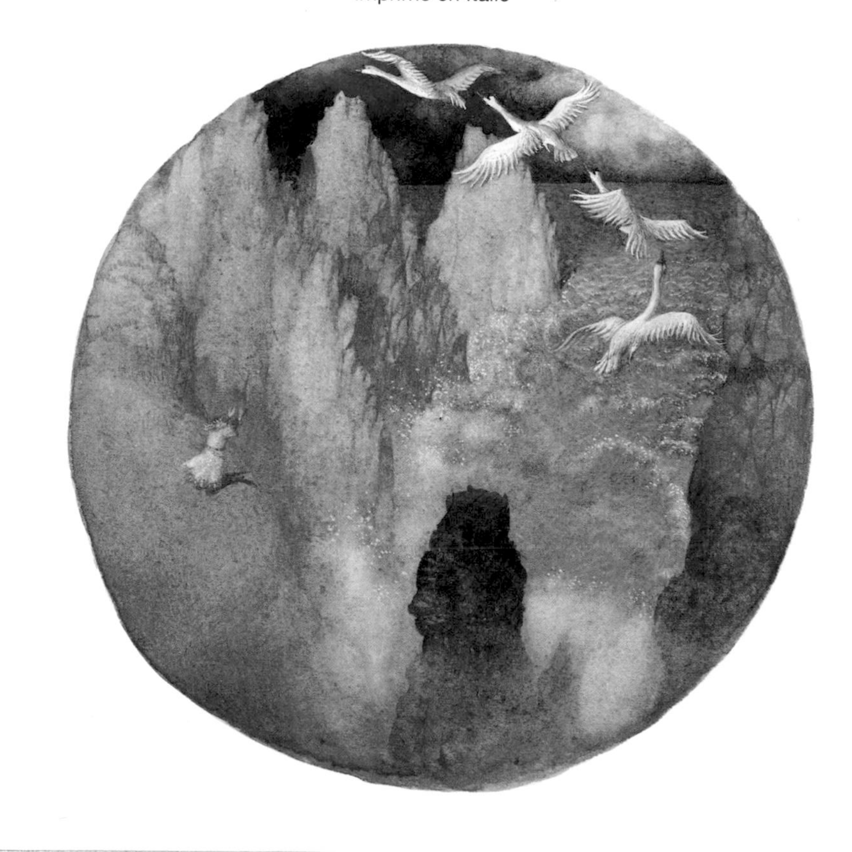

Il y a longtemps de ça vivait en Irlande un roi appelé Lir. Il avait quatre enfants, qui lui réchauffaient le cœur. Chacun d'eux plus beau que l'autre...

Des jumeaux dont les cheveux roux flamboyaient comme le soleil d'été quand il se couche.

Et des jumelles dont la chevelure noire brillait comme une fontaine cachée sous la lune. Une chose, une seule, troublait la joie des enfants. C'est que leur mère, la reine Aobh, était morte à la naissance des deux filles.

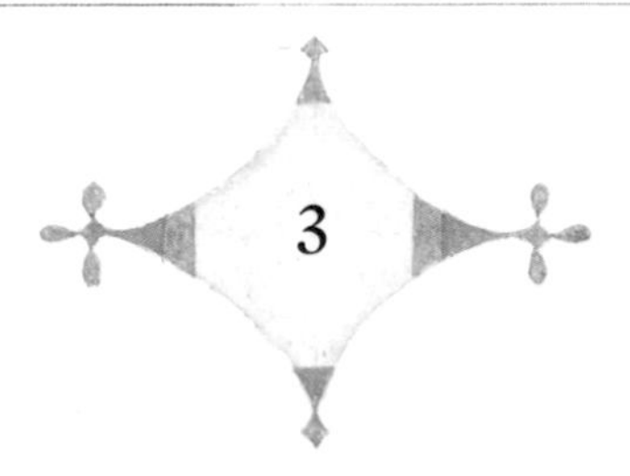

Pour adoucir leur solitude, le roi Lir épousa la sœur d'Aobh, appelée Aiofe. Elle était belle, mais elle avait le cœur mauvais. Le temps passa, et elle n'eut pas d'enfant du roi, aussi la jalousie grandit en son cœur vis-à-vis des fils et des filles de sa sœur.

Un jour que le roi était en voyage, elle appela les enfants. « Venez, leur dit-elle, réfugions-nous au bois, loin des yeux de tous. Cette journée sera aussi longue que la nuit. »

Elle les conduisit dans la forêt, où elle étala une nappe blanche. Et elle les invita à manger. À peine les enfants avaient-ils bu aux coupes d'or, qu'ils se sentirent changer. Ils se transformèrent en cygnes, et se regardèrent les uns les autres avec crainte, avec peur.

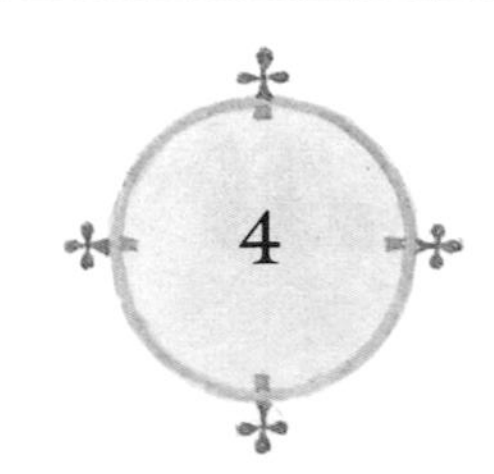

Aiofe se mit à crier, méchamment :
« Vous voilà transformés en cygnes. Cygnes vous resterez, durant trois fois trois cents ans ! À moins que l'Homme du Nord rencontre la Femme du Sud. »

Ces mots écrasèrent le cœur des enfants de Lir, car ils savaient cette rencontre impossible. L'Homme du Nord et la Femme du Sud, c'étaient les noms de deux montagnes qui se trouvaient aux limites du royaume de leur père, tout au bord de l'océan. À moins que la terre tremble, ces deux montagnes ne pouvaient se toucher.

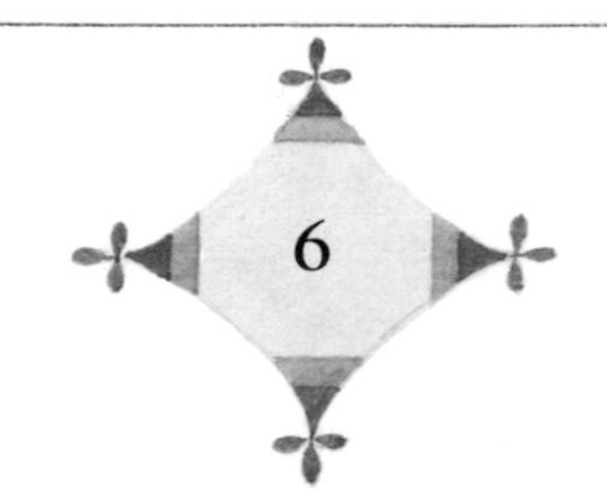

Aiofe semblait satisfaite. Elle dit :
« Sachez que chaque année, quand reviendra ce jour où la lumière et les ténèbres sont de force égale, vous retrouverez la forme humaine et la parole. Mais ce jour-là, si vos pieds touchent terre, vous en mourrez. »

Elle rit. « Voici le don que je vous fais : vos voix seront si belles qu'on vous pourchassera pour leur grande douceur. »

Les quatre cygnes s'envolèrent, lançant un chant sauvage et triste. Les hommes dans les champs relevèrent la tête, rêveurs. Les femmes qui travaillaient la terre, et celles qui berçaient leur enfant, eurent le cœur touché d'un chagrin immense.

On parla des cygnes à travers toute l'Irlande. On accourut du pays entier pour les entendre.

Pour eux, les paysans construisirent un abri sur les rives de l'île d'Inniskeel. Les cygnes chantèrent pour les hommes et les femmes, pour les riches et les pauvres, tout au long des chaudes nuits d'été.

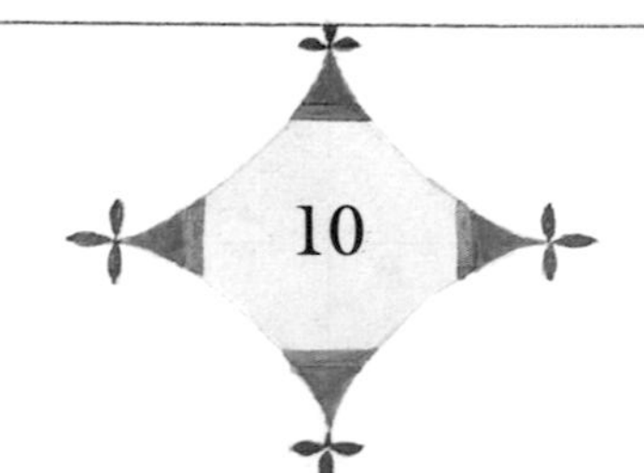

Mais la jalousie d'Aiofe, et sa haine, grandirent encore. Car le roi ne lui parlait plus que de ses enfants perdus.

Avec le temps, son chagrin le rendit presque fou. Et il quitta son domaine, comme un vagabond. Finalement, il arriva à l'île des cygnes, et il écouta leur chant, le cœur allégé. Les enfants de Lir lui donnèrent leur affection. Et pourtant il ne les reconnaissait pas.

Depuis que le roi Lir avait quitté son domaine, Aiofe y avait pris le pouvoir. Elle attendait son heure. Elle attendait le jour où la lumière et les ténèbres seraient d'égale valeur. Cc jour là, elle le savait, les cygnes mourraient.

Ils volaient tous les quatre au-dessus de l'océan, quand la forme humaine leur revint. Ils s'y attendaient, et ils avaient choisi de disparaître au milieu des vagues. Alors ils tombèrent, tombèrent dans les profondeurs aveugles, leurs mains serrées, leurs cheveux ondoyants, roux et noirs.

Soudain ils sentirent quelque chose qui remontait à la surface de l'eau, très vite.

Ils se trouvaient sur le dos d'une grande baleine. De ses petits yeux elle les regardait. « Je suis Jasconius, annonça-t-elle d'une voix sifflante. Et vous, êtes-vous ceux dont les chants nous ensorcellent ? »

« Oui, et nous te remercions de nous avoir sauvés, Jasconius », répondit Cormac, le plus grand d'entre les enfants. Puis, d'une voix hésitante, il présenta à la baleine Fionn, Liban et Maeve.

Jasconius frappa l'eau de sa queue, et des oiseaux s'approchèrent, portant en leurs becs des fruits pour les nourrir.

Alors vinrent des phoques et des dauphins, qui se mirent en cercle pour entendre leur histoire, pendant que les oiseaux perchaient sur le dos de la baleine.

Quand le conte fut conté, Jasconius réclama une chanson. Les voix profondes des phoques accompagnèrent le chant. La baleine sifflait, et les oiseaux aussi. Les quatre enfants du roi se prirent les mains et dansèrent. La nuit entière ils dansèrent.

Au lever du soleil, ils se sentirent fatigués. Liban essuya sa sueur, et elle dit : « Nous avons survécu au premier changement. Maintenant, il faut briser le sort d'Aiofe avant de redevenir cygnes. »

Ils en parlèrent à la baleine. La journée passait, mais l'énigme restait nouée. Comment la Femme du Sud pouvait-elle rejoindre l'Homme du Nord ?

À l'instant où le soleil allait se coucher, Jasconius parla.

« Mon cœur est avec vous. Moi et les autres animaux, nous allons beaucoup réfléchir à tout ça. »

Et les yeux de la baleine clignèrent. « Si vous ne trouvez pas la réponse cette année, n'ayez pas peur. Aussi sûr que le soleil se couche, je serai là pour vous recueillir au fond de la mer. »

Durant sept ans, le sort perdura. Et chaque année Jasconius sauva les cygnes. À chaque métamorphose, ils se retrouvèrent plus grands, plus âgés. Et chaque année les espions d'Aiofe lui rapportèrent que les enfants du roi avaient survécu. Quand vint la septième année, elle réagit.

Cette année-là, quand les quatre enfants du roi Lir rejoignirent leur refuge, ils le trouvèrent détruit. Et le roi n'était pas là pour les accueillir. Les mouettes et les alouettes criaient pour les avertir d'un danger. Mais ils ne les entendaient pas. Se demandant où avait disparu leur père, ils ne voyaient pas les hommes qui les attendaient.

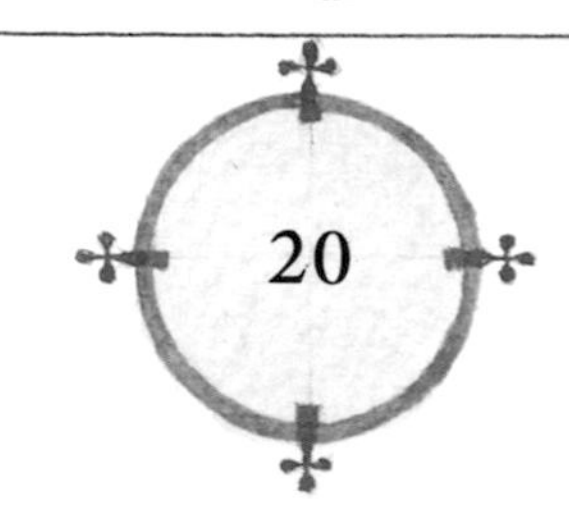

Les quatre cygnes furent emmenés. Ils se débattirent à coups de bec, à coups de patte palmée. Mais ça ne servit à rien. Les hommes les emportèrent jusqu'au château, et ils les livrèrent à la reine.

« Vous voilà, vous voici à ma merci, tout comme votre père, qui a eu le tort de vous préférer à moi. » Elle gloussait de plaisir. Une année entière, elle les garda prisonniers. Des renards et des blaireaux creusèrent un souterrain jusqu'à leur prison et les réconfortèrent. « Consolez-vous, leur dit le plus vieux des blaireaux, la veille du jour fatal. Ne vous en faites pas, nous vous sauverons. » Un garde survint alors, et l'animal s'enfuit.

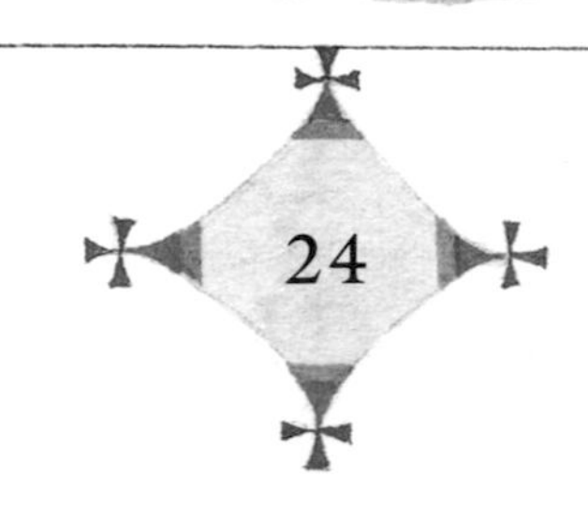

Arriva le jour fatal. Aiofe annonça à sa suite que ce serait jour de fête. Un grand festin fut préparé sur la plage, au pied des montagnes jumelles, qu'on appelait l'Homme du Nord et la Femme du Sud. Quand le soleil monta à l'ouest du ciel, on alluma un grand feu, et on parla de cygnes rôtis…

Maeve et Liban, Fionn et Cormac s'attendaient au pire. Leur père arriva sur la plage. Il se mit à pleurer à la vue des cygnes qu'on allait sacrifier.

Le soleil disparaissait à l'occident, il se couchait en tremblant au bord de l'océan. Aiofe rayonnait et elle riait, elle riait. « Chantez, chantez, se moquait-elle. Chantez pour la dernière fois ! » Mais rien ne se passa. Les têtes des cygnes s'affaissèrent seulement, doucement.

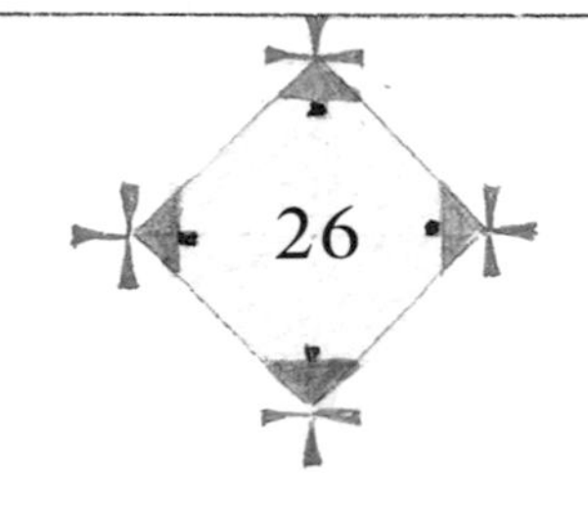

Un énorme jet d'eau s'abattit sur la plage. Venue des profondeurs de la mer, Jasconius, la baleine, battait les vagues de sa queue. Des aigles fondirent du haut du ciel, et en un éclair ils enlevèrent le filet contenant les cygnes prisonniers.

Aiofe commanda à ses hommes d'intervenir, elle cria qu'on abatte les oiseaux de proie. Mais les lances et les flèches restèrent sans effet. La baleine entre les deux montagnes s'agitait, on aurait dit qu'elle dansait. Sur la plage, les gardes, fascinés, regardaient. Entre les montagnes jumelles, des cygnes volaient. Entre l'Homme du Nord et la Femme du Sud, des cygnes dansaient. Ils dansaient dans l'air, ils faisaient un pont. Ils firent se joindre une montagne et l'autre.

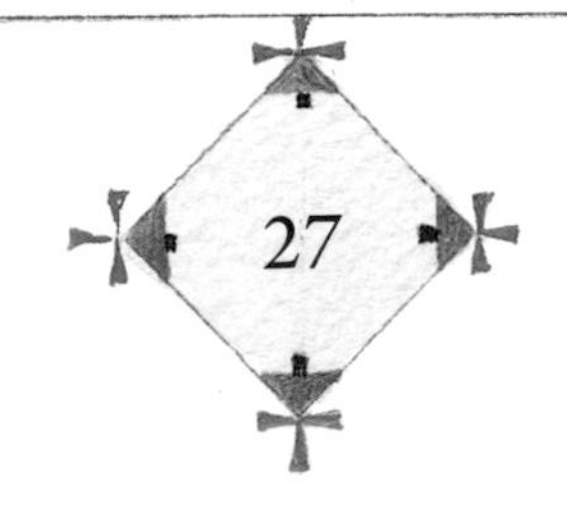

Aiofe poussait des cris, elle criait des ordres à ses hommes. Les aigles, doucement, déposèrent le filet au sol. Il en sortit deux guerriers aux cheveux d'or et deux princesses à la chevelure sombre comme la nuit.

Le premier, Cormac se mit debout, et son glaive étincelait. « Va-t'en, Aiofe ! Que toute main se porte contre toi, que le feu refuse de te réchauffer, que l'eau refuse d'assouvir ta soif, que les bois et les pierres refusent de t'abriter. Va-t'en, fuis jusqu'au bout du monde ! »

Alors elle disparut à leur vue.

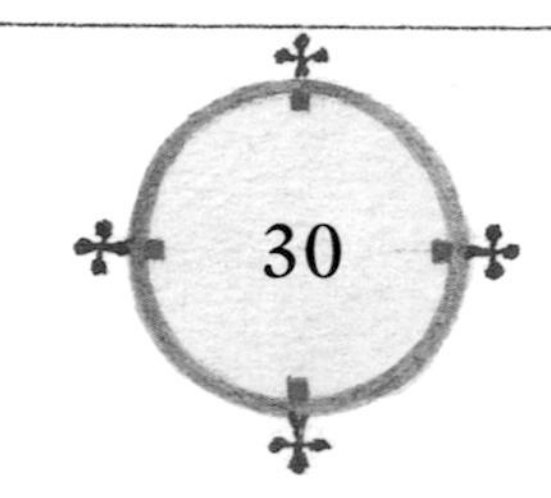

Les quatre enfants embrassèrent leur père, qui pleurait des larmes de joie. Jasconius devint leur conseiller. Et s'écoulèrent les douces journées d'été.

Les enfants du roi Lir très longtemps vécurent, et très longtemps ils chantèrent.

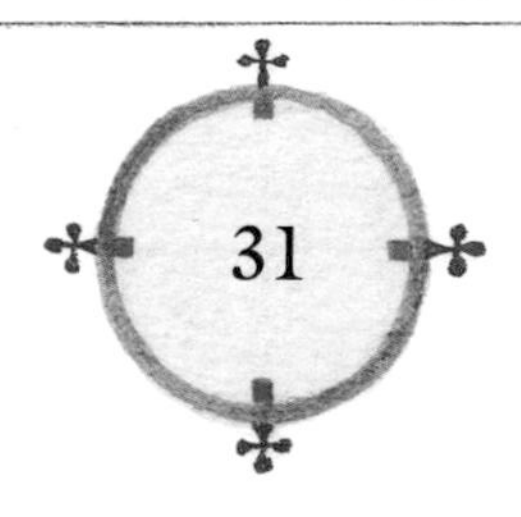

Note de l'auteur

Le texte que vous venez de lire est librement adapté d'un mythe irlandais. Lir est le dieu marin d'Irlande, également nommé Llyr dans les mythologies britannique et galloise. Les érudits pensent qu'il est le prototype qui inspira tant Shakespeare pour sa pièce *Le roi Lear*, que, auparavant, Geoffroy de Monmouth pour son *Histoire des rois de Bretagne* (12e siècle).

La tradition localise le royaume de Lir au nord de l'Irlande.
Là, sur la côte de Donegal, se trouve une petite île, appelée Inniskeel. Là, sur une dalle de pierre, sont gravés quatre cygnes, ainsi que deux figures d'hommes et deux figures de femmes.

Là poussent quatre chemins d'herbe.

◆